CE LIVRE EST OFFERT À

Eleonore

PAR

namie

Illustration de couverture : Madeleine Brunelet

FLEURUS

Direction : Guillaume Arnaud
Direction éditoriale : Sarah Malherbe
Edition : Claire Renaud
Direction artistique : Elisabeth Hebert
Conception graphique : Séverine Roze
Fabrication : Thierry Dubus, Sabine Marioni

Copyright : Fleurus, Paris, 2015
www.fleuruseditions.com
Tous droits réservés pour tous pays.

ISBN : 978-2-2151-1732-2
Code MDS : 651 533
Numéro d'édition : 14123

« Loi n°49-956 du 16 juillet 1949 sur les publications destinées à la jeunesse »

New material only	Matériaux neufs seulement
REG. NO. QC-007309	N°de permis : QC-007309
Content : Polyurethane	Contenu : Mousse de
Foam	polyuréthane

Achevé d'imprimer en Chine par Toppan Leefung en janvier 2015
Dépôt légal : mars 2015

3 Histoires pour mes 3 ans

FLEURUS

Sommaire

Haut comme trois pommes

Il était une fois trois petites pommes dans
un panier en osier.
Trois petites pommes qui s'ennuyaient, s'ennuyaient.
Trois petites pommes qui s'agitaient, s'agitaient,
tant et si bien que… patatras !
Le panier se renversa et les trois pommes roulèrent
dans l'herbe verte.

« Aïe ! Aïe ! Aïe ! » dit Pomme rouge en se frottant la joue.

« Ouille ! Ouille ! Ouille ! » dit Pomme jaune.

« Mais où sommes-nous ? » demande Pomme verte
en cherchant ses lunettes.

Pauvres petites pommes ! Elles ne voient rien du tout.
Elles sont si petites et l'herbe est si haute. Dame fourmi
s'approche d'un petit pas dansant, le dos chargé de grains.

« Bonjour Dame fourmi, disent les trois pommes.
Pouvez-vous nous dire ce qu'il y a au bout
du jardin ? »

« Non, j'ai du travail, dit la fourmi en s'éloignant.
Je suis trop pressée, désolée ! »

Pauvres petites pommes ! Elles sont si petites
et l'herbe est si haute.

$\mathcal{A}$rrive Monsieur escargot, sa coquille sur le dos.

« Bonjour, Monsieur escargot, disent les trois pommes. Pouvez-vous nous dire ce qu'il y a au bout du jardin ? »

« Je suis navré, mais je suis bien trop lent », répond l'escargot en s'en allant d'un pas tranquille.

Pauvres, pauvres petites pommes ! Elles sont si petites et l'herbe est si haute.

onsieur papillon vient se poser
à leurs côtés.
« Bonjour, Monsieur papillon.
Pouvez-vous nous dire ce qu'il y a au bout
du jardin ? »
« Désolé, j'ai un rendez-vous très important,
dit le papillon en s'envolant. Un autre jour,
peut-être... »

Pauvres, pauvres, pauvres petites pommes !
Elles sont si petites et l'herbe est si haute.

Dame taupe sort la tête d'une butte de terre.

« Qui est-là ? demande-t-elle.
J'entends des voix. »

« Pomme verte, Pomme rouge et Pomme jaune,
disent les trois pommes. Pouvez-vous nous dire
ce qu'il y a au bout du jardin ? »

« Moi, je ne vois rien, dit Dame taupe. Mais
j'entends tout ! Et je sais ce qu'il y a au bout
du jardin. »

Dame taupe fait signe aux trois pommes de se taire.

« Au bout du jardin, il y a des rires. Vous les entendez ? »
    Les trois pommes tendent l'oreille.
Ce sont des rires de petits enfants joyeux.
Si seulement elles pouvaient les voir !
Dame taupe a une idée.
« Grimpez les unes sur les autres. Quand
on est haut comme trois pommes, on voit
tout très bien ! »
Ho hisse ! Pomme verte
grimpe sur Pomme rouge
qui grimpe sur
Pomme jaune.

Pomme verte s'écrie :
« Il y a trois petits enfants.
Ils ouvrent des cadeaux.
Il y a un gros gâteau. »
« À nous ! À nous ! » trépignent
Pomme jaune et Pomme rouge.
Les pommes sont tellement
agitées que… badaboum !
Elles tombent et roulent
jusqu'aux pieds des petits
enfants.
« Comme c'est drôle,
dit la maman. Trois petites
pommes pour mes trois petits
bonhommes hauts comme
trois pommes.
Bon anniversaire, mes chéris ! »

Les trois petites poules

Lundi matin, deux poulettes, cot cot codet, couvent leur œuf en soupirant :
« On s'ennuie ici ! C'est pas drôle la vie ! »

Soudain, une troisième poulette arrive, guillerette,
pour couver son bel œuf, tout neuf.
Elle s'installe à côté des deux autres et papoti, papota !
Les trois poulettes papotent et rient !
L'une d'entre elles dit : « On pourrait devenir amies ! »

ardi matin, dans un grand champ de blé,
        les deux poulettes, cot cot codet, tirent
un énorme sac de grains.
« Ho ! hisse… »
Elles se lamentent : « C'est trop lourd !
On n'y arrivera jamais. »

ais soudain arrive la troisième poulette,
guillerette.
Elles tirent le gros sac toutes les trois :
« Une, deux, trois, ho ! hisse… »
Et le sac devient léger…
À trois, elles ont vite fait de le transporter
jusqu'au poulailler.
Décidément, être trois c'est bien mieux, ma foi !

Mercredi matin, dans la cour de la ferme,
les deux poulettes, cot cot codet, répètent
un joli morceau de musique.
La première joue de la flûte, la seconde
du tambourin.
Quelle catastrophe ! C'est la cacophonie !
De gros nuages noirs annoncent la pluie.

Mais devinez !
    La troisième poulette arrive, guillerette,
et joue le chef d'orchestre :
« Une, deux, trois ; do, ré, mi… »
Une merveilleuse musique flotte dans le vent.
Décidément, être trois, c'est bien mieux, ma foi !

$\mathcal{J}$eudi matin, nos deux poulettes, pleines
d'ambition, construisent un grand restaurant
trois étoiles.
Mais à midi, elles en sont encore aux fondations !
Découragées, elles laissent tomber tous leurs outils :
« Ce n'est pas la peine ! On n'aura jamais fini ! »

Mais mais mais…
La troisième poulette arrive, guillerette,
et à trois, elles en sont bientôt au toit.
Quelle chance d'être trois !

endredi matin, les trois poulettes sont devenues
de vraies amies.
Un joli panier sous le bras, elles s'en vont cueillir
les fraises des bois.

amedi, c'est le grand soir : l'ouverture
    du restaurant trois étoiles.
Sur le pas de la porte, les trois poulettes accueillent
la famille canard : monsieur, madame et les trois
canetons.
Au menu : grains de blé, fraises des bois et grand
concert sous les étoiles.

Dimanche matin, les trois amies ont bien mérité
de faire ce qui leur plaît :
elles dansent la ronde autour d'un drôle de lapin.
Un lapin en chocolat !
Cric crac croc : elles se régalent toutes les trois.

Ainsi font font font,
trois petits tours et puis s'en vont…

Boucle brune et les trois sorcières

Boucle brune était une petite fille aux cheveux noirs et bouclés.

Elle habitait une jolie maison dans la forêt avec son papa et sa maman.

Sa maman lui avait interdit d'aller se promener toute seule dans les bois.

Mais un jour, elle alla quand même cueillir
des fleurs dans la forêt.
Une jonquille, deux jonquilles, trois jonquilles,
un beau bouquet de jonquilles pour maman !
Quand elle voulut rentrer à la maison,
elle ne retrouva plus son chemin.
Elle marcha, marcha, des heures durant.

À la nuit tombée, elle aperçut entre les arbres,
une vieille bicoque abandonnée,
Elle poussa la porte qui grinça et entra.
C'était un beau bazar, ça sentait bizarre,
des cafards couraient partout,
des rats sortaient de tous les trous.

Elle vit trois chaudrons de potion magique devant
la cheminée : un gros, un moyen, un petit.
Elle s'approcha à petits pas :
Elle goûta la potion du grand chaudron :
trop d'yeux de crapauds.
Elle goûta la potion
du moyen chaudron :
trop d'écailles
de serpent.
Elle goûta la potion
du petit chaudron
et la trouva
juste à son goût.
Elle termina
le chaudron.

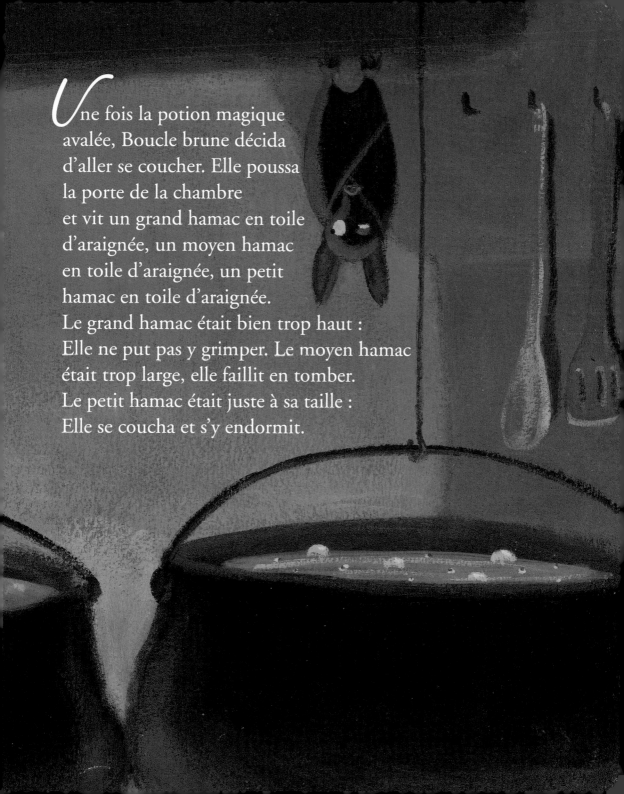

Une fois la potion magique
avalée, Boucle brune décida
d'aller se coucher. Elle poussa
la porte de la chambre
et vit un grand hamac en toile
d'araignée, un moyen hamac
en toile d'araignée, un petit
hamac en toile d'araignée.
Le grand hamac était bien trop haut :
Elle ne put pas y grimper. Le moyen hamac
était trop large, elle faillit en tomber.
Le petit hamac était juste à sa taille :
Elle se coucha et s'y endormit.

Mais bientôt, les trois sorcières qui
habitaient la bicoque rentrèrent chez
elles. Immédiatement, la grand-mère sorcière
cria de sa grosse voix :
« Quelqu'un a goûté ma potion magique ! »

La maman sorcière dit de sa moyenne voix :
« Quelqu'un a soufflé sur ma potion ! »
Et la petite sorcière ajouta de sa petite voix :
« Quelqu'un a mangé toute ma potion ! »

En colère, les trois sorcières
cherchèrent le coupable partout.
En entrant dans la chambre,
la grand-mère sorcière dit :
« Quelqu'un a touché à mon hamac ! »
Et la maman sorcière :
« Quelqu'un a essayé mon hamac ! »
Et la petite sorcière cria :
« Quelqu'un dort dans mon hamac ! »

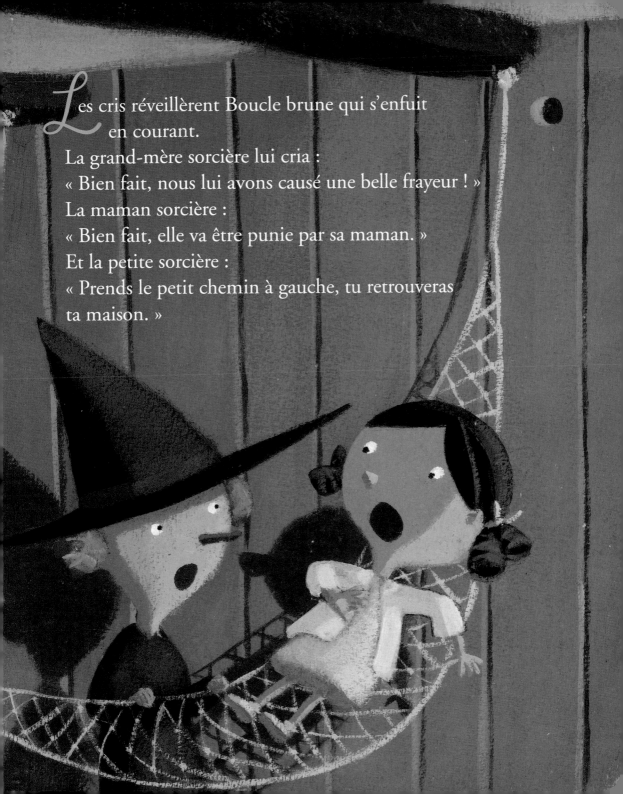

*L*es cris réveillèrent Boucle brune qui s'enfuit
en courant.
La grand-mère sorcière lui cria :
« Bien fait, nous lui avons causé une belle frayeur ! »
La maman sorcière :
« Bien fait, elle va être punie par sa maman. »
Et la petite sorcière :
« Prends le petit chemin à gauche, tu retrouveras
ta maison. »

Et Boucle brune rentra chez elle, où ses parents l'attendaient. Ils étaient si contents de la revoir qu'ils oublièrent de la gronder !

« Tout de même, se dit Boucle brune, elle était bien gentille cette petite sorcière, de m'indiquer le chemin. Je lui ai pourtant mangé toute sa bonne potion magique, à la bave de limace ! »